퍼포먼스란 분장과 헤비메탈을 통해 신체를 사용한 용도이며 서커스에서는 당연히 물리적인 작용과 신체언어로 사용이된다.
분장에서는 특히나 자상같이 꾸미되

특이한요소들을 넣고 독소를 빼내는 작업이다. 내가 만약 음악극에서 연주를 해서 그 헤비메탈의 특성을 살려 가면으로도 표현을 하는 매개체이다그러므로 이 퍼포먼스성향은 신체언어에서 사용이된다 연극의 심리라는것은 딱히 굳어지지 않고 더 많은 개체들을 살려서 사이언스 구조적인것을 표출하는것이다. 예를 들어서 이 공연예술 성향이라는 의미하에

무조건적으로 내가
할수있다고 하는것이
아니라 그 느낌과
신체적인 언어를
사용해서 배우들과
협동해서 사용하는
것이다. 이렇게 환경을
조성하고 무대의
즐거움을 펼쳐야
관객들이 시선을

꾸밀수가 있다.
그러므로,퍼포먼스이론
상 공연의 이론은
차이점이 라는것이
생길수 밖에 없다.
이둘의 특이점은
누군가에게 신체를
오장육부를 이용해서
다양한 기능을
섬세하게

들어가는것과 스킬을
부여하는것이 바로
퍼포먼스라는것이다
하지만
공연이론이라는것은
당연히 퍼포먼스와
차이점이 생긴다
공연이론은 바로
우리가 사용하는
언어로 개체들을 풀어

해내어야한다.
공연예술에서는
우리는
즉흥상황극이나
사실적인 표현이
들어가지만
퍼포먼스나 쇼같은
경우는 결국에는
신체라는 조건이 많이
부여된다

그러므로 물리적인 작용에서도 당연히 퍼포먼스가 많이 들어가지만 공연에서 환경이라는 것은 당연히 언어와 움직임 표정이라는것이 결국에는 들어나기 마련이다.이것을 과학적인 해설을

하자면
이론이라는것은
실체에
융합할수없는것이다.이
론이라는것은 단지 그
무게를 실는것으로
판단이된다.
물리적인것은 당연히
작용점에서
시작이되는데 무대에

물건을 집을때와
넘어지는 상황에서
섬세히
떨어졌을때와는 다른
작용점이라는것이
생긴다 그것이
힘이라는 뜻이다
여기서 벡터에대한
공식이론상
풀어봤을때 내가

넘어졌을때 컨트롤을
하면서 자극과 반응을
했을때가 공연의
해석이라는것이다
하지만
퍼포먼스쪽에서는
내가 당연히 이
액팅이라는 것이
없어도 남들한테
보여주는순간 매체의

적용이
달라지는것이다
공연예술이 점점 더
생산이될때
헤비메탈과 가면의
관계는 어디일까라는
점이다.가면이라는것은
당연히 얼굴의
생김새를 그 배우의
얼굴 생김새와 다르게

나타날때 액팅에서 보이스 칼라를 적용할수있다는 것이다 그럼 퍼포먼스에서도 연기가 생기지 않는가하는 사고가 있을것이다 도저히 이해가 않되지만 연기라는것은 고전소설 수필에 해당되어 내가 이 공연에서 소리와 호흡을 실어서 이 공연의 끝과 시작을 의미하는 바이다 대사 호흡 발성 그리고 움직임에서 시작이된다 이게 점차 생겨나면서 누구와

함께 대사를 이어가고 하는 기계어라는 자체이다.
기계어라는것은 서로간에 믿음과 신뢰를 부여할정도로 소중한존재이다 배워 마음을 해아려 감정을 표현을 할줄알아야하며 누군가가 내 입장에서 공연을 이끌 하지만 퍼포먼스는 행사의 의미가 부여되는 측면도있을것이다.행사라는 것에서 쇼는 다른이들과 함께 하는 공연매체이지만 내가 신체적인 언어로 사용하기 때문에

절실하다 또한
공연에서의 연극이나
뮤지컬 오페라
같은경우에는 소리와
것이면 내가 이 공연의
과학적인것을 깨달을
수가 있다 마치 내가
현존해있을때 남들과
관객들이 칭찬과
박수를 칠때는

절대적이지말아야한다
배우도 마찬가지로
시건이 곧 관객이되어
연출을 해볼수있다.
예를들어서 관객이
되면 내가 이
장면연출을 해서
저사람을 더이끌어
주어야 겠다는생각은
시각이라는것이다

나의 의미를
전달할줄알아야
시학을 연구할수있고
다른 언어들을
사용할수있다.
퍼포먼스에서는
특수장비가
있을수있는데
불꽃이나 시점을
두어서 관객들을

놀라게 하는 시각적인
기술들이 필요하다
특수장비가
아니더라도 머리를
무대에 놓고
돌린다던지 서커스로
몸을 자율적으로
하면서 물리적인
시점에서 연출을
하는것이다

퍼포먼스의 서커스단이나 퍼포먼서들은 거의 연출을 할수밖에 없는것이다.
이상황에서의 기억을 해도 저 상황에서는 저럴수있다는 것을 보여주는것이 바로 퍼포먼스이다.

즉흥연기라는것이
개발이 되어야
하는것이
시점이될텐데
공연이론에서의
발취는 공연을 이렇게
했으면 당연히
기울이겠는데 하는
측면과 내가당연히
이공연에대해서

이해를 하고 감정의 농도를 초과하지않는 형태가 되어야한다. 예를 들어서 연출이 이론을 설명을 했을때 이 이론자체에서 배우들이 아 이 장면연기에서는 이러한 모션과 무브먼트를 보여줄것인지 상상력을 발휘해야한다. 또한 내가 무조건 남들보다 뛰어나야하나 하는순간 모든것이 무너지고 만다 한배우마다 자기의 스킬을 우기지도 않고 자백하지도

말아야한다.
공연이론에서도 이
연출자가 공연학을
설명할때가 제일
쓸모가있다.
공연학이라는것은
어느시점에 내가
연기를 하면서 무대와
환경을 포함시켜
안다고 할지라도 내가

무너지면 않되기 때문에 모두가 과학적인 분석이 이루어 져야한다.공연학에서는 연출 연기 배우 무대 희극과 비극이 있다. 이 적용점을 추릴려면 시간이 좀 오래걸릴것이다

. 또한 공연에서의 장점과 단점이 있을것인데 이것은 각 배우마다의 성향과 호흡의 차이이다. 배우의 성향을 이해한 공연학 전문가는 각 사람들의 흉강이 다르기때문에 호흡을 내쉬고 이 시점에서는

어떻게 하라는
말보다는 상상을
해보아라 하는것과
분위기를 조성해라는
말이 필요할것이다
또한 공연중에 내가
혹시 비극에서
희극적인발언과
언어를 쓰지않는지에
대해서 공연연출자나

예술감독들은 언어적인것과 신체적인것을 많이 볼수밖이 없다 의상도 마찬가지로 배우의 성격에 맞게 디자인을 해야한다. 이처럼 공연학이 라는 점이 혼돈이 되지말아야하는데 기술이라는 시점에서 배우들을 무대에 세울때까지 중심을 몸으로 세우며 대본에서 나오는 내 마음의 내면에서 흘러나오는 소스와 서브텍스트를 설명을 해야할것이다.
극장이라는 환경적인

건축은
과학적으로증명된
사실이 없지만
아키텍쳐같은
기술로서 무대 장비를
다루거나 공연에 관한
기획론을 상상으로
연출을 할수있다
상상의 기반으로
사이언스적인 측면에

제도가 어떻성질에
대한 것인지에 대해서
알아보겠다
재질이라는 것은
가면의 형태나 무대의
조명장치로 빛 세기가
어디로 흘러갈지에
대한 것이 필요하다
여기 서 전자의
발생으로 퍼포먼스를

조명 가상현실을
부여해서 분장을통해
알아볼 수있는
것들이있다
구를 상징해보면
공으로 속력 계산으로
서커스의
움직임이라던지
서커스의 공연형태와
극장의 구조를 통해서

움직일 수 있는 가치가
더 활발해질수있다
하지만 서커스의
부담이 클 시에는
신체적인 연극으로
승화할수있는데
신체적으로 호흡을
완활히 할 수 있는
법도 있다 신체의
특정상 목구멍과

항문의 이용해서
신체적으로 건강한
상태로 접근해야한다
공을 구슬릴때 내가
관객의 위치에 있을때
관객은 나만 보는것이
아니라 시학적으로
나의 언행적인 습관과
무대의 움직임
신체적으로 뒤로

가있는 형태를
잡아주고 발성이 크게
잡을때 에너지라는
부분에서도 항상
소리를
잡아주어야한다
소리라는것은
청각에서
인식이되어야 하며
청각으로 인식후 상대

배우와 호흡이
맞춰줘야 한다고
생각한다 상대 배우는
극적인 흉식호흡을
하는 상태라면 소리를
크게 하여 에너지를
주어야 한다 에너지의
공연예술의 특정상
대본의 맞는 부분에
따라서 그 호흡상태와

마임이 어디로
잡히는지 사물이
어디에 있는지 에대한
것과 캐릭터의
습관적인 화술을
알아야한다
심리적인 부분에서
내가 상대 배우라면이
제일 먼저 들어가야
한다 이 이유의

타당성은 내가 만약
상대 배역일때
어떤점이
흔들리는지에 대한
추상과 상상을
할수있어야 한다
그러므로 이 발견을
통해서 계속되는
심리적인 연출이
필요하다면 연출자가

대본에서 개입을 하는
행위가 필요하다
그러므로 연출자는
그대로 자연적으로
배우들이 이
상황에서는 어떤
행위와 어떤
목적성으로
이야기하는것을
자꾸만 관객들에게

간접적으로
알려야하는것이 매우
필요한 상황이다
스포츠 경기에서
나오는 과학적인것은
관객들에게
퍼포먼스로 보여줄때
항상 액션이
라고하는데 액팅이
맞는말이다

액팅에서의
공연예술에서는 그
타박하고 험란한
햄릿을 만났을때
정서적인 기억법이나
들고 있는 사물에 대한
상상으로 시대적
배경을 알아 야한다
상상으로서의
세계관은 어차피 글을

많이 읽거나 보고 듣고 느끼고의 철학적인 부분이 많이 들어간다 여기에서 내가 느끼지 않는 이상 상대 배우에서는 좋게 받아 들이지않는다 그러므로 공연에서 그 햄릿의 타박성을 주장하기에는

이르다고 본다
공간안에서의 보는
그림자극이나
탁시현상의 큐빅의
공간을 인식해야한다
착시현상은
심리학적으로
관객들에게
논픽션적인 현황을
만들고 있고

그림자극에서
사운드를 조절해서
제작하는것도 많은
부분이라고 생각한다
가면극에서 는
우리나라 말로써 이고
마스크라는 것은
외래에서 전해진
말이다 마스크극은
토대로 사람이

인식할수없는
동물적인 현상을
심리학적으로
연계시켜 나의 얼굴이
가상의 픽션으로
과학적으로 밝혀져
있는 내용들이다
여기서 분장에서는
다른 이미지를
보여주는데 누가

자극했을때 고전적인
흐름을 통해서
공연예술을 더욱
상품화 시킬
수있는부분들이있다
공연을 분석을 했을때
나의 자가 심리에서
다른 배우들이
관객이였을때 보는
입장도 마찬가지 라고

생각한다
음악극이라는
공연예술은 누가
지정을 하지
말아야한다 포인트를
잡자면 리듬이있는
공간안에서 누군가
움직임을 표현을
한다던가 했을때
리드미컬 하게

들어가야 하는
성질이있다 하지만 이
리드미컬해서
출발점이라는 부분을
연출로서 공연적인
것을 말하며
슈퍼바이징 을 했을때
장면 마다 분석을 해
음악이 나오는
부분에서의 가치적인

행위가 들어가야하며
그 원리에 따라서
마찬가지로 내가
할수없어도 음악극을
했을 때 관객의
연령대를 맞춰서
포지션의 포인트를 잘
잡아야 한다
딕션에서의
공연예술은 행위도

포함이 되는 상황이다
화술로서 딕션을
구상화 하는것은
한계가 있다
분석을 토대로
말하지말고
연극배우들께
말해주면 분석은
공연에서의
통계라는것이다

표정연기가 어떻게 들어갈것이며 동작은 어떻게 마임은 어떻게 줄수있는 지 감정의 농도로 인해서 내가 어떤 작용점을 줄지에대해서 연출가나 감독을 말해야 한다 어떤 자율적인 연기가 들어

갈려면 그것을 일일히
설명을 하는
법칙보다는 내가 먼저
이렇게 통계가나오니
배우들이 이렇게
작용을 하면 되구나
라는것을 알아야한다
배우들의 연기는
자율적이여야하며 이
통계를 통해서 이렇게

나온다만 알기 만
하는것이다 무대
장치에서 조명이
어디로 비춰질지는
과학적인 작용이
기때문에 인식을
해야하는 부분이다
연기에선 당연히
무의식적인 사고가
필요하다고 생각한다

연기에서 어떠한 자극을 받아도 실제처럼 하기위한 작업들이 보여주어야하며 이 실체를 통해서 개선할 점들은 사물이라는 직접적인 대상이다 사물에서의 단점은 내가 사물이

과학적으로 어디에
마임이 가야하며
어떤구성을 해야하면
을 사고화할
수있는것은
본질적인문제이다
연기도 마찬가지로
공연예술쪽에
해당되는
퍼포먼스에서는

심도있게 파악하지 않아도 되지만 고전극 현대극에서 는 다양한 방법론들이 숨겨져있다 언행을 아시아적으로 한다기보단 독일의 딕션이나 아메리카의 딕션이나의 차이를 두고 아시아적인

말투로 과학적으로
사고화해
얻어갈수있는
문제들이 많아지고
있다 내가 말하는
언행은 아시아고
연기를 했을때 나오는
성품은 서양화된
기술이 포함되면 좋다
힘이 좋다고 해서 물론

액팅화가 되지 않는다
신체적으로 풀어져야
하며 자유적으로
신체표현을 하며
관객들에게
신비로움을
주어야한다
이탈리아적인
가면극의 에쮸드
광대적인 에너지

소모는 크게
일어나지는 않는다
치지광이가 만약
나에게 관객말고 어떤
부분적인 상황에서의
말과 행동은
극장에서도 똑같이
일어나게 만든다
이탈리아 에서는
극장에서 스포츠의

현상이 있기에
마련이다
예술계통에소도
알렉산더
테크닉법으로 수련을
하며 무대를 현성해
가는 잡을 하고있다 이
수련과정으로
액팅으로 극장의
연출을 따르며 나아가

어떠한 물직적인
자원으로 코데리아
연출법 으로 서의 기능
장치로 인해 연기을
승화시키고있다
동유럽권에서
폴란드를 예로 잡자면
신체와 인문 사회학을
공부할수있는
기관이므로 카메라의

동선적인 작용과
어떠한 공간인식을
통해서 극장의
포인트와 작용점을
연계할수있는
나라이며 미술적인
도자기와 신체적인
고전작품을 추구하며
폴 란드이 기법의
정치적인 세로모니와

퍼포먼스 적인
공간안에서
이루어져야 한다 이
폴란드의 연극은 안에
사로잡히지 않고
학문적인 기술을
동반에
그로토프스키의
연기의 인식을
연출하며 성장하고

있는 국가이며 그
특성을 살려 공연예술
단체를 운영할 수있게
끔 설립해 둔 곳이
많다고 생각한다
그럴수록 더욱 손봐야
할것은 미술적인
그림이라고 생각되며
일본의 사상적인
태도에 대해서도 멀리

하지 않기 때문에
발생하는 신체극을
유도하고있다
인형극을 풀이는 내가
만약 보이스칼라에서
헝가리 연극을
추상했을때 내가 할
수 있는 조건하에서
헝가리가 추수리는
인형극단인곳은 나의

표현과 배우들의
포즈와도 같은
공간이라고
말할수있다 그러므로
이 사세한 인형극들은
탈인형극으로 예를
잡았을때 내가
사고화하는 캐릭터의
얼굴구조와 그들의
캐리턱를 연구를

했을때 나타난 것이다
헝가리는 동유럽권에
속하며 항문인식을
하는 연구단체들의
연극의식들이
살아있다는것이다
흉부적인 공간을
타고나고 있으며 이를
통해서 심리학과
의학을 전개할수있는

장점이있다
신체에서의
그로토프스키의
연극론은 어떠한 인식
자체에서 신체가
활발히 성장을 해서
무대에서의 기법을
살릴수있다고
생각한다
남미의

의식자체에서는
고전적인 기원전
이야기를 하고싶다
고전적인 것은
러시아의 의미를
두고있지만 하지만
모세의 시기때 이러한
콜럼버스의 전의
이야기 이지만
아포칼립토같은

영상매체를 통해서도
멕시코 에서 나오는
탕고나 브라질의
삼바댄스의 유동적인
스포츠 현상이
나타난다 그래서 이
상황을 봤을때 극장의
요소들이 아프리카의
식민지의 고전적인
스핑크스의 형태로

나눠질수있다고
생각한다 이 기원전의
연기는 역사별로
신석기 시대의 신을
믿는 인종들의
대다수가 이 의미를
전개하고 있으며
신석기 시대에도
극장의 위치나
희생정신을 통해서

가름지어 극적인
요소들이 많이
작용한다고 생각된다
남미의 페루에는 많은
인류들이 존재하고
그들의 문명을 지을
수 있다고 생각하며
남미의 예술이자
서커스이며 동상을
바라볼수있는 의미를

크게 전달 하고있다
이란과 터키 지역은
어떨까하는 생각이다
그들은 문명적으로
타고났으며 극장의
설계와 들어가는 이론
자체가 분명하다
이란에서의 터키빵을
먹고 지역적으로
특성화 되어있는

의상이있으면 이
의상을 거쳐서
극장에서 활발하게
움직일 수있는
상품권들이 많다 예를
들어서 스포츠의식과
공연예술의 유네스코
지정단계에서 빠르게
성장하고 있는
국가이며 이 국가를

통해서 나중에
영상매체나 천주교의
신빙성을 주장 하며
캐릭터의 외모에서
풍겨나는
맥베스연극을
추상할수있으며
연출의 반전성에
대해서
고려할수있겠다

일본이라는 아시아 지역상 크게 작용점을 다루고 있을 노우 소극장에대해서 는 큰 비극의 상징을 두고있다 이 소극장의 주요한 특성은 바로 이야기 전개이다 이 소극장에서 가면의 의식이나 마찬가지로

예술의 특성을
디지털화 되어있다
사계라는 극장은
어린이 뮤지컬의
중심으로 한국과 중국
아시아에서 배우로 서
활동하는 값어 치가
있다 이들의
신체에서는
과학적으로

집허두는것이있다
그리스의 비극처럼
스타니슬라브스키의
사실주의
연기이론에서의 발달
과정이다 그럼으써
대필할수있을수있고
그리스의 발언을
통해서 많은 사고적인
발달 이있을 수있다

아리스토텔레스는
독일의 수사학에
항목에 포함이 된다
그래서 독일의
수사학은
어느정도에서 멈추지
않고 연출기법에서
상세히 살펴볼
필요가있으며
브레히트의 단위로

독일 역사와 게르만의
주의의 심리학적인
요소가 필요할것이며
수학적인 연기법으로
딕션을 작용을
해야할것이다
러시아의 물직적인
자원에서 필요한
사실적인
연기기법에서 많이

작용을 한다 연기를
했을때 좀더 진실있게
현장감있게 하는 것과
연출에서 필요한
정보들을 나중에
스케치할때의
미술적인 작용을 하며
우리가 인식할수있는
것이 굉장히 에너지가
쎄다 는 말을 전개한다

연출에서는 스타니슬라브스키의 말이 배우의 특성을 살리며 사실적으로 진짜이면서의 상황을 전개시키는것이 올바르다고 말할수있다 또다른 학자들 중에 메소드의 연기가 미국쪽으로

가게 되어있을
상황이다
미국의 공연예술은
인디어와 흑인 의
역사를 받았다 이
미국의 역사는 흑인을
위해 아무것도
증빙된것이없지만 왜
이런 국가를
퍼퍼만스화 하는지에

대해서 알고싶을것이다 처음으로 말할수 있는것은 서커스라는것이기 때문이다 이러한 기반으로 뮤지컬에 대한 상식과 더불어 많은 기법들이 존재한다 미국

퍼포먼스들은
연출력이 상당하다
어떠한 작용으로
이해할수없으며
타고난 재능으로
인해서 자율을
얻을려고한다
고전극도 품질있는
것으로 상징하며
나중에는 주요한

증명이 되기때문이다
연극학에서는
보았을때 이
희극자체에서
볼수있는 면목들이
여러가지 측면들이
있다는 것이다
프랑스와 연계가
된다면 공연예술에서
슈퍼바이저가

상상하는 공연의식
자체가 만약 배우들의
타당성을 요구하면
된다는것이다 규틱과
룰을 알려주는것이다
미국이라는
사회안에서 나라는
사람이 어떻게 전개
되어있는지에대한
응용을

나타내는것은오로지
퍼포먼스의
공연예술에 해당이
되는것이다
공연예술의 짜임새가
희극과 비극을
상징할때 배우들의
장점을 살리는 것이
중요하다고 본다
그러기에 앞서

성능자체에서
물리적인 기반으로
신체적인 현상들을
다시한번 집어
봐야한다
즉흥연기라는 구조
자체가 말하자면
연출의 연기기법이다
나의 정저적기억과
추상화된 상상력이

기반이 되어야한다고
생각한다

발 행 | 2022년 03월 18일

저 자 | 허윤제

펴낸이 | 한건희

펴낸곳 | 주식회사 부크크

출판사등록 | 2014.07.15.(제2014-16호)

주 소 | 서울특별시 금천구 가산디지털1로 119 SK트윈타워 A동 305호

전 화 | 1670-8316

이메일 | info@bookk.co.kr

ISBN | 979-11-372-7752-6

www.bookk.co.kr